Del Perdón
Al Amor

Un nuevo amanecer, una nueva vida.

Dios te ama
Siempre.

Salvador Gómez Yáñez
Predicador Católico

Titulo Original:
Del Perdón, Al Amor
Autor: Salvador Gómez Yánez
Editor: ZARZA, Editorial Católica
Diseño e Ilustraciones :Guillermo Rivera

ISBN 978-99-9237-402-3

COPYRIGHT 1997
Zarza, Editorial Católica
Residencial Pinares de Suiza,
Polígono 22, Senda 5, Casa #2, Santa Tecla,
La Libertad, El Salvador, C.A.
Tel: (503) 2288-2126
misionessalvadorgomez@hotmail.com

ZARZA
Editorial Católica
El Salvador C.A.

 @predicadorgomez

 Salvador Gomez (oficial)

Índice

Primera Parte

Del Perdón

Pasos para perdonar

PRIMER PASO

SEGUNDO PASO

TERCER PASO - No ir mas allá de la

CUARTO PASO-Renunciar al Derecho

QUINTO PASO

Segunda Parte

Grados en el Amor

Introducción

Nos ha tocado vivir en un mundo lleno de grandes enfrentamientos, luchas, polarizaciones y conflictos; guerras que no sólo llenan de sangre las fronteras de nuestros países, sino que destruyen el mismo corazón de la sociedad:

Nuestras Familias

Cada vez más, nos sentimos rodeados de extraños y de posibles agresores, incluso en medio de aquellos con quienes deberíamos sentirnos hermanos, amigos, y compañeros de camino.

¡Cuánto nos han hablado de amarnos! Y dicen que es urgente detener nuestros pasos que cada vez nos acerca más a la confrontación y destrucción final. Por el bien de nosotros mismos, debemos caminar juntos un nuevo sendero que comienza, cuando aprendemos (ya no digo a amarnos) al menos a soportarnos, a comprendernos y de esa manera, ya que nos falta mucho por andar, hacer menos dura la jornada que nos espera.

Aprendamos ahora a vivir como hermanos o preparémonos a agonizar como extraños y morir como enemigos.

Urge aprender a perdonar

El perdón es una fuente de energía positiva, sanadora, creadora. Es el medio que Dios nos ha dejado para volver a una vida plena, a disfrutar de la vida, entonces, perdonar es el regalo más grande que podemos dar y que debemos darnos. Es luchar por un mejor futuro esperando que sanen las heridas del pasado, es creer todavía en la luz, aunque nos haya tocado sufrir noches oscuras.

No sé, si alguna vez en tu vida has tenido el dolor de verte lastimado, traicionado, defraudado por esas personas en las que tanto confiabas.

¿Cómo puede sentirse una esposa o un esposo que ha sido sustituido en el amor? Lleno de odio, humillado y no ha podido perdonar.

¿Cómo están lastimadas las mentes y el corazón de los hijos que se sienten defraudados y más de una vez, rechazados por sus padres?

¿Qué herida más profunda llevan esos padres que habiendo brindado todo tipo de cuidados, desde que era una niña, a su amada hija, ahora ven traicionado el amor y la confianza, ya que en ese noviazgo mal llevado resultó un embarazo prematuro?

Y, ¿Qué pensar de los que son destrozados por hijos alcohólicos, drogadictos, homosexuales, irresponsables en sus estudios o simplemente ausentes, muertos en la indiferencia?

¿Cómo dar un verdadero perdón a todos ellos? Y más allá del hogar, cómo perdonar y no tomar venganza de los hombres de una sociedad en la que se roba, se viola, se mata, y se espera inútilmente que llegue la justicia?

¿Cómo perdonará la viuda y el huérfano, los padres y hermanos de esos seres queridos a los que brutalmente desaparecieron, o quizá, frente a ellos le quitaron la vida?

¿Cómo enseñar a perdonar a un hombre que se siente atropellado, oprimido, amenazado, silenciado en un mundo que le niega o le arrebata las oportunidades?

En una sola pregunta: ¿Cómo restaurar un corazón destrozado con estas realidades dolorosas?

Sé que es difícil, sé que es doloroso, sin embargo, es urgente emprender el camino a la más dura, pero redentora escuela del perdón.

Perdonar es la única esperanza, si queremos salvar lo que todavía nos queda, para construir un mundo más humano, más justo y lleno de amor.

El perdón es la puerta que nos abrirá nuevas dimensiones de paz, salud y alegría, perdonar es una meta muy grande, pero no imposible, si logramos aprender como alcanzarla.

Prepárate a escalar uno por uno los peldaños de la difícil, pero salvadora escalera que te sacará del pozo profundo y oscuro del odio, del rencor y la venganza; te conducirá a la llanura del perdón de allí a las alturas tan deseadas de la paz y del amor.

PASOS PARA PERDONAR

Perdonar es una escuela, no para memorizar conceptos sino para cambiar actitudes concretas. Para llegar al final de este camino lo mejor es dar paso por paso.

DEL PERDÓN AL AMOR

PRIMERA PARTE

DEL PERDÓN...

PRIMER PASO:

Perdónate a ti mismo

Todos recordamos la historia de José y cómo fue vendido por sus hermanos para ser esclavo en Egipto y cómo Dios lo levantó hasta ser el segundo en importancia en ese imperio. Al encontrarse de nuevo José, con sus hermanos y al verlos morir de temor y de vergüenza por lo que habían hecho, les dijo estas sabias palabras:

Vamos acercaos a mí. Se acercaron y él continuó: yo soy vuestro hermano José, a quien vendisteis a los egipcios. Ahora bien, no os pese mal, ni os dé enojo el haberme vendido acá, pues para salvar vidas me envió Dios delante de vosotros.

(Gn 45,4-5)

José reveló a sus hermanos un secreto que abre las puertas de la felicidad:

No se enojen, no se acusen, no se condenen a ustedes mismos.

¿Quieres estar listo para comprender, aceptar y perdonar a los demás?

Comienza por hacerlo contigo mismo.

Estamos más dispuestos a perdonar a otros y es más fácil que los demás nos perdonen, pero estar en paz con nosotros mismos es muy difícil, más sin ese sentimiento, cualquier intento de buena relación con los demás, tarde o temprano se derrumba.

Perdonarte a ti mismo quiere decir, aceptarte tal como eres, con tu edad, tu color, tu peso, tu estatura, tu historia;

dejar de perder el tiempo lamentándote por lo que no eres o no tienes, para atrapar la felicidad que está al alcance de tu mano.

La hormiga no envidia al elefante cuando lo ve comiendo; ella come lo necesario y queda satisfecha.

Perdonarte a ti mismo es dejar el pasado en las manos misericordiosas de Dios. Todos hemos hecho o dejado de hacer cosas; no podemos retroceder en el tiempo y cambiar nuestra historia, sólo podemos confiar en que así como los tejidos de la piel se regeneran para sanar las heridas, Dios sanará cualquier fracaso sufrido en la primera parte de la vida, dándonos la oportunidad para que hoy sea el primer día de la segunda mitad de nuestra existencia.

Debemos aprender a flotar, como lo hace el submarino, que aún siendo perforado por el torpedo, dispone de compuertas para cerrar el paso y el agua no lo hunde totalmente.

No podemos ir muy lejos por más que nos esforcemos, si estamos remando en una lancha amarrada al muelle.

Cuántas veces por no perdonarnos un fracaso pasado, llegamos a perder nuestro presente.

Qué sabia decisión la que el Señor inspiró a Pablo:

Yo hermanos, no creo haberlo alcanzado todavía. Pero una cosa hago: olvido lo que dejé atrás y me lanzo a lo que está por delante.

(Flp. 3,13)

Tú también tienes derecho a usar el borrador del lápiz con el que escribes tú vida. Si no estás en paz contigo mismo, no esperes vivir en paz con los que te rodean.

Si logras perdonarte a ti mismo estás listo para el siguiente paso que te llevará a perdonar y amar a los demás.

Recuerda que el otro es un espejo que refleja tu rencor, tu odio, o la paz y el amor que en él proyectes.

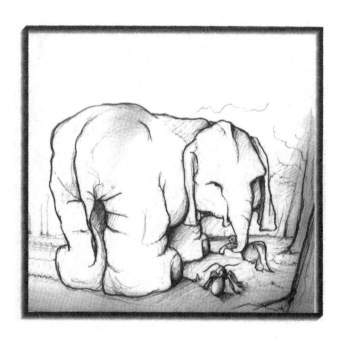

"Se feliz con lo que tienes"

SEGUNDO PASO:

Delimitar la zona del conflicto

¡Qué hermoso sería no tener nada que perdonar! No sentirnos ofendidos por lo que hacen o dejan de hacer los demás; pero esto es raro entre los seres humanos, todos los hombres (más aún en estos tiempos tan conflictivos) tenemos necesidad de perdonar o nos veremos envueltos en el torbellino de la venganza.

Para llegar a perdonar al otro, debemos **DELIMITAR LA ZONA DE CONFLICTO.** Esto quiere decir establecer las fronteras de nuestro enfrentamiento; o sea, pelear con quienes debemos pelear, sin involucrar a otras personas en nuestra guerra. En pocas palabras, es buscar a quien nos la debe, no quien nos la pague.

La escritura nos dice:

Si encuentras el buey de tu enemigo o su asno extraviado, se lo llevarás.

Si ves caído bajo la carga el asno del que te aborrece, no rehúses tu ayuda. Acude a ayudarle.

(Ex. 23,4-5)

¡Qué sabiduría hay en estas palabras! Dios se muestra comprensivo, sobre todo con el hombre que empieza a conocerle.

Es posible que tengamos enemigos y personas con las que mantenemos un enfrentamiento permanente, pero... ¡Cuidado! Que el cruce de nuestras balas no lastime a los que son inocentes.

Si encuentras al buey de tu enemigo... si encuentras caído al asno del que te aborrece no rehúses tu ayuda.

Si tengo un pleito con una persona, debo aprender a pelear con ella, no con su familia, no con sus amigos, pues no tengo nada contra ellos.

Para muchos es común dejar de hablarle e incluso atacar a los amigos o familiares de aquellos con los que mantienen las diferencias; por no observar este principio de **PELEAR CON QUIENES DEBEMOS,** y se hacen partidos, se buscan aliados y más fuerzas se suman al conflicto.

No hagamos arder en el fuego de nuestros odios a los que son inocentes.

¡Cuántos hijos resultan heridos por las palabras y los golpes que se disparan los padres! Parece mentira que tan pronto hayamos olvidado al demente Herodes que al tratar de matar al niño Jesús, a quien sin razón consideraba su enemigo, mató a tantos inocentes tratando de alcanzar inútilmente su propósito.

Querido hermano espero que estas palabras, abran tu mente, para que reflexiones.

Si no puedes dejar de pelear, pelea, pero hazlo **CON QUIEN TIENES QUE PELEAR.** No involucres en tus diferencias matrimoniales a toda la parentela, porque armarás un pleito con la tribu entera, y cuando pelean las tribus, habrá guerra en todo el pueblo.

Cuando tenemos un problema económico, en vez de solucionarlo, llegamos a casa y alejamos con nuestro mal humor a nuestros hijos, a nuestra esposa. ¿Acaso los hijos o nuestra esposa tienen algo que ver con el problema? O bien, en ocasiones el conflicto lo tendrás en tu trabajo en la calle, ¿Por qué entonces contestar airado al padre, al hermano, o a la esposa en el hogar? ¿o por qué explotar en el trabajo la bomba, si la mecha la traías encendida desde la casa? No cometer el mismo error que el terrorista que haciendo estallar en mil pedazos un avión, no mata a sus enemigos políticos, pero si destroza vidas y deshace corazones que como el suyo también tienen causas y las defienden, también sufren, lloran y sienten.

Qué el Señor nos conceda la gracia de humanizar nuestros conflictos, de mantener nuestros enfrentamientos con fronteras bien definidas, para no desencadenar, por nuestras pequeñas tonterías, la tercera guerra mundial en la que morirían todos los culpables, pero acabarían también con todos los demás que son inocentes.

*"Establecer fronteras en nuestro
enfrentamiento, es pelear con
quien debemos
pelear, sin involucrar
a otras personas"*

TERCER PASO:

No ir más allá de la ofensa recibida

Esto fue lo que Dios quiso enseñar con la ley del Talión a los hombres que no eran capaces de detenerse ante el ímpetu incontrolable de la venganza:

El que hiera mortalmente a cualquier otro hombre, morirá. El que hiera de muerte a un animal indemnizará por él: vida por vida. Si alguno causa alguna lesión a su próximo, como él hizo, así se le hará: fractura por fractura, ojo por ojo, diente por diente: se le hará la misma lesión que él haya causado al otro.

(Lev. 24,17-21)

Muchas personas al leer esta ley, piensan que es horrible, inhumano, agresiva y cruel, más aún, creen que no deberíamos ni siquiera mencionarla, pero ojalá fuera esta ley por lo menos la norma que rigiera nuestros conflictos.

Según la ley del Talión no podemos hacer una ofensa mayor de la que hemos recibido. Es ojo por ojo, no es toda la cara por un ojo. Al no respetar esta ley, destruimos totalmente al otro por no estar de acuerdo con un detalle.

Si alguien me acusa de ser impuntual en mi trabajo, según la ley del Talión tengo derecho a señalar también su impuntualidad, pero qué hago; lo acuso de mentiroso, ladrón, traidor e infiel en su matrimonio. Por un detalle de mi conducta que me difame, yo lo calumnio en todos los aspectos de su vida y si es posible le saco la parentela. Si un hombre me hace un insulto de cien, no tengo por qué contestar con uno de mil.

¿Por qué lo hacemos? Contestamos con golpes a las palabras, con balas a las ideas, con bombas a las acciones y de esta manera estamos en la espiral de violencia, que es hoy por hoy, el cáncer que destruye a nuestro mundo.

Se empezó con la piedra, de la piedra se pasó a la espada, de la espada a la bala, de la bala a la bomba, y ahora las armas químicas, la guerra bacteriológica ¿y mañana qué? Mañana no habrá vencedores todos estaremos vencidos por nuestra estúpida carrera armamentista.

En resumen, si algún día deseas perdonar, procura desde ahora no hacer una ofensa más grande de las que has recibido. Contesta a las palabras con palabras, a los argumentos con argumentos, combate las ideas con ideas y por ningún motivo utilices un arma más poderosa de la que tiene tu oponente.

Recuerda que entre más poderosa es un arma, más inocentes resultan heridos. Con eso no te has perdonado todavía, pero al menos no habrás aumentado la magnitud del conflicto.

"No hagas un daño más
grande del que te han
causado"

CUARTO PASO:

Renunciar al derecho de vengarte

Este es el paso más perfecto para estar al menos al nivel del antiguo testamento:

No te vengarás ni guardarás rencor contra los hijos de tu pueblo.

(Lev. 19,18)

Se nos pide aquí un paso muy importante y quizá el más difícil de dar cuando se está aprendiendo a perdonar: Renunciar al derecho que tenemos de acusar al otro, de hacerle al menos el mismo daño que nos ha hecho. Se nos pide controlar nuestras palabras, controlar nuestras manos, levantar el castigo, aún cuando el ofensor lo tenga merecido.

Aquí es donde propiamente se empieza a perdonar.

Pienso en la esposa, que sigue siendo fiel aún cuando el esposo ha fallado en su promesa de fidelidad. En la mano que suelta el cuchillo para no herir a aquél que le ha hecho una herida. Esto es detener la espiral de la violencia, es responder con palabras a los golpes, es contestar como Jesús en casa del sumo sacerdote Caifás, al guardia que le había bofeteado:

Si he hablado mal, declara lo que está mal; pero si he hablado bien, ¿Por qué me pegas?

(Jn. 18,23)

No te aseguro que actuando así tendrás éxito siempre, a veces te sentirás cobarde o al menos tratarán de que así te sientas, pero recuerda que si ofendemos al que nos ofendió, con eso no desaparecerá el daño que nos ha causado.

Si mato al que mató a mi padre, solamente estoy aumentando el número de huérfanos

Mía es la venganza: Yo daré el pago merecido, dice el Señor.

(Rm. 12,19)

Ya llegará el tiempo en que verás arruinados a los que arruinaron la tierra.

(Ap. 11,18)

Tarde o temprano verás el castigo que tu ofensor merecía, sin que tengas por ello que manchar tus manos.

Dios quiera que el peso de la justicia, llegue sin la tardanza de la corrupción antes que la sed de venganza destruya a los hombres.

Si logras evitar imponer tus propios castigos a los que te han ofendido, es señal que has avanzado en el difícil camino del perdón.

QUINTO PASO:

Poner la otra mejilla

Es aquí donde comienza la exigencia del perdón para uno que desea ser cristiano. Si el hombre del antiguo testamento, practicaba los pasos anteriores cuando no había recibido la plenitud de la revelación; lo que Dios nos pide a los cristianos es algo más perfecto:

Habéis oído que se dijo: Ojo por ojo y diente por diente. Pues yo os digo: No resistáis al mal; antes bien, al que te abofetee la mejilla derecha ofrécele también la otra. Al que quiera pleitear contigo para quitarte la túnica, déjale también el manto; y al que te obligue a andar una milla, vete con él dos.

(Mt. 5,38-41)

Esta no es una invitación a buscar ser ofendido reiteradamente o a soportar de una manera pasiva el mal que se nos está haciendo. Poner la otra mejilla encierra toda una forma de vida muy activa, es la fuerza de la no violencia, es la manera de vencer con inteligencia la fuerza bruta que daña la dignidad humana.

San Pablo muestra como dar este delicado paso en el perdón:

Bendecid a los que os persiguen, no maldigáis. Sin devolver a nadie mal por mal, procurando el bien ante todos los hombres; no tomando la justicia por cuenta vuestra, queridos míos, dejar lugar a la cólera, pues dice la Escritura:

Mía es la venganza, yo daré el pago merecido dice el Señor. Antes al contrario; Si tu enemigo tiene hambre dale de comer; y si tiene sed, dale de beber; haciéndolo así, amontonarás ascuas sobre su cabeza. No te dejes vencer por el mal; antes bien vence al mal con el bien.

(Rm. 12,14-17. 21)

No es fácil explicar lo que esto significa. Solo se entiende cuando se pone en práctica. Así, asombró a todos ver a un hombre diminuto como Ghandi lograr que el imperio Británico se doblegara y retirara su dominio colonial de su querida India. También logramos ver la realidad de esta teoría en una persona tan débil en apariencia como la Madre Teresa de Calcuta que en su lucha por los más pobres de la tierra, logró penetrar hasta cambiar el estilo de vida de personas y sociedades que parecían impenetrables.

Venzan el mal con la fuerza del bien, y nosotros ¿Cómo podemos practicar esto? No es tan sencillo, pero hagamos el intento. Poner la otra mejilla, quiere decir darle vuelta a la moneda para ver el lado opuesto a lo que se está viendo, así por ejemplo, la otra mejilla de los gritos y los insultos, son las palabras suaves y adecuadas.

Si un esposo, por los motivos que sean, llega a su casa, cansado, enojado y gritando, la esposa (que para fortuna de ese hombre es una cristiana que está aprendiendo a perdonar) le pone la otra mejilla lo recibe con dulzura le contesta con palabras amables y pocas, y lo escucha, logrará de esta manera ser agua para el otro que quería lanzar fuego.

Aprender a no pagar con la misma moneda es cuestión de mucha altura cristiana.

Nada se puede hacer cuando se junta un roto con un descosido o cuando alguien con hambre se sienta al lado del que tiene ganas de comer.

Cierto hombre, había caído en la trampa que él mismo preparó para su enemigo, y éste al llegar y encontrarlo en tan grande peligro le tendió la mano para sacarlo. El hombre que había caído en la trampa, aún extrañado de la actitud de su supuesto enemigo le dijo: ¿Por qué me ayudaste a salir? Yo en tu lugar, te dejaría morir. A lo que el otro contestó: "Si te dejara morir, tú me vencerías, pues me convertiría en un hombre igual a ti". Quiero mostrarte que hay hombres diferentes y que tú puedes ser uno de ellos.

Abraham Lincoln decía: "Al enemigo se le puede vencer de dos maneras. Una es matándolo y la otra es haciéndolo amigo."

Cuando en lugar de ofuscarte con el hijo que llamas rebelde, lo amas, lo ayudas y lo comprendes, estás poniendo la otra mejilla.

Cuando no tomas el camino que el otro lleva: ofendiendo, maldiciendo y haciendo el mal, sino que le regresas un bien, lo opuesto, la otra cara de la moneda, entonces eres luz y muestras la claridad del Espíritu ante la acción del que está en la carne y por ello en la más densa tiniebla.

Nunca olvides que es más fácil atraer a la mosca con una gota de miel que con un barril de vinagre... No te dejes vencer por el mal, antes vence al mal con la fuerza del bien. Así has aprendido a poner la otra mejilla, y aún cuando la persona que ofende no vea tu luz, al menos dejarás una muestra de luz en las tinieblas, y aunque tú no lo sepas estás influyendo en la forma de actuar de los que están alrededor y con eso has preparado las condiciones para que en este mundo haya más hombres que luchen por la justicia y la paz.

Cuando te asiste la razón y el derecho, cuando estás del lado de la verdad, la justicia y la paz, cualquiera que luche contra ti, aunque aparentemente no se vea ya está derrotado.

Si tratas de ayudarlo, para que comprenda su error sin que manifiestes una actitud triunfalista o humillante, le será más fácil aceptar la verdad.

Si alguno de vosotros, hermanos míos, se desvía de la verdad y otro le convierte, sepa que el que convierte a un pecador de su camino desviado, salvará su alma de la muerte y cubrirá multitud de pecados.

(St. 5,19-20)

No es tan fácil pero debes intentarlo, devolver un bien por un mal recibido, es dar al mundo la oportunidad de no ver solamente la cara desfigurada del mal sino mostrar la cara sonriente del bien. Es transparentar el rostro amoroso de Dios que nos ama.

Pues yo os digo:

Amad a vuestros enemigos y rogad por los que os persigan, para que seáis hijos de vuestro Padre Celestial, que hace salir su sol sobre malos y buenos, y llover sobre justos e injustos. Porque si amáis a los que os aman, ¿Qué recompensa vais a tener? ¿No hacen eso mismo también los publicanos? Y si no saludáis más a vuestros hermanos, ¿Qué hacéis de particular? ¿No hacen eso mismo también los gentiles? Vosotros, pues, sed perfectos como es perfecto vuestro Padre Celestial.

(Mt. 5,44-48)

Si nosotros que creemos en su Palabra y nos gloriamos de profesar nuestra fe cristiana, cómo no somos capaces de vivir este ideal, ¿Quién puede hacerlo? Ánimo, tú vencerás el mal con la fuerza del bien.

SEXTO PASO:

Volver a la misma Confianza y Restaurar la Relación

No es fácil practicar los cinco pasos anteriores para poder llegar hasta aquí, pero aquí estamos ante lo perfecto, lo que podríamos considerar, el verdadero perdón. Jesús mismo quiere enseñarnos hasta alcanzar esta difícil pero fascinante meta de perdonar.

Conocemos la excelente relación que existía entre Jesús y Pedro; el maestro había mostrado una marcada preferencia por él; lo que constituyó la piedra sobre la que edificaría su Iglesia y como una expresión de la mayor confianza el Reino de los Cielos (Cf. Mt. 16,18).

Pedro, Santiago y Juan formaron el grupo de los íntimos amigos de Jesús, es frente a ellos que se transfigura, permitiéndoles ver su gloria y es Pedro el que manifiesta el deseo de quedarse así para siempre (Cf. Mt. 17,1-8). Pero también Pedro es llamado como buen amigo a compartir los momentos más difíciles en la vida de Jesús, como la noche de la agonía en el huerto; y precisamente es a él a quien el Maestro reclama por no velar en su compañía (Cf. Mt. 26, 36-40).

El apóstol, por su parte, había prometido morir si era necesario para no fallar a su amistad con Jesús (Cf. Mt. 26,30-45). Pero pasó con él, lo que desafortunadamente pasa con nosotros y con los que amamos: poco duró su promesa y pronto, frente a una mujer que lo había señalado como uno de los compañeros del prisionero, él jura repetidamente diciendo:

No sé de qué estás hablando... Yo no conozco a ese hombre

(Mt. 26,69-74)

En ese momento, Jesús siente más dolor por esta negación que por las espinas en su frente.

La Escritura nos dice:

Se volvió, miró a Pedro, y éste recordó las palabras del Señor, cuando le dijo: Antes que cante el gallo, me habrás negado tres veces. Y saliendo fuera, rompió a llorar amargamente.

(Lc. 22, 61-62)

¿Sería el fin de esa amistad? ¿Sería capaz esta ofensa de destruir todo el cariño y confianza que Jesús le tenía a su discípulo? ¿Sería este el último recuerdo que de él tendría el Maestro, antes de morir?

Pedro, afuera lloraba amargamente. ¡Cómo hubiera querido que su amigo Jesús viera su arrepentimiento!

El discípulo, que se había mostrado tan deseoso de saber más sobre el perdón (Cf. Mt. 18, 21-22) después de la resurrección de Jesús, será precisamente a quien el Señor glorificado le dé la más inolvidable lección.

Ya habían pasado varios días después de aquellas negaciones y los ojos de Pedro aún estaban húmedos de llanto. Cuando de repente, Jesús se acerca a ellos y los invita a comer.

¿Qué pensamientos llenaron la mente de aquel discípulo? El esperaba y estaba dispuesto a aceptar un reproche por parte del Maestro o un silencio acusador. Aunque en lo más profundo de su corazón abrigaba la esperanza de escuchar: Te perdono. No te saco del grupo de los doce, pero debes comprender que ya no puedes tener las llaves, pues has defraudado mi confianza.

Con estos pensamientos en su mente y corazón, es interrumpido por una voz muy conocida que le dice:

Simón de Juan, ¿Me amas más que éstos? Le dice él: Sí, Señor, tú sabes que te quiero. Le dice Jesús: Apacienta mis corderos. Vuelve a decirle por segunda vez: Simón de Juan ¿Me amas? Le dice él: Sí, Señor tu sabes que te quiero. Le dice Jesús apacienta mis ovejas. Le dice por tercera vez: Simón de Juan ¿Me quieres? Y le dijo: Señor, tú lo sabes todo; tú sabes que te quiero; le dice Jesús: Apacienta mis ovejas.

(Jn. 21,15-17)

¡Qué manera más sublime de perdonar! La triple negación quedó borrada por la triple declaración de amor, y lejos de suplantarlo en el cargo recibido con anterioridad, lo confirma como pastor del rebaño devolviéndole de esta manera, no sólo el amor, sino también la confianza.

¡Qué maravillosa forma de perdón! Reiterar la relación de profundo amor que había entre ellos. No sólo levantar el castigo, sino dar la oportunidad de volver a empezar.

Esto es lo que hace Dios contigo, conmigo, con todos, cada vez que por el pecado nos alejamos de Él. Por la petición de Jesús en la cruz "Padre, perdónalos, porque no saben lo que hacen", nuestro Padre Dios nos vuelve a ver como criaturas recién nacidas y nos da la oportunidad de volver a comenzar.

¿También es tu manera de perdonar? ¿Has podido avanzar en los pasos del perdón hasta esta altura? O has dicho: Te perdono, pero no podré olvidar lo que me has hecho. No te haré daño, pero no esperes que te trate como antes.

Con esto que ha pasado, todo cambiará entre nosotros, me quedaré a tu lado, pero que no te extrañe si me sientes un poco indiferente. Y es posible que sigas viviendo, trabajando o estudiando en los mismos lugares y con las mismas personas que te han ofendido, pero ¿Cuál es la actitud con la que vives? ¿Es de amargura, resentimiento, silencio o de agresividad?

En una sola frase, **ya no vives, sino que agonizas con ellos.** Has hecho el esfuerzo por no vengarte, tratas de soportar lo que ha pasado, sin destruirte ni destruir a los demás, pero la tristeza y la inseguridad te ahogan. ¿Crees que con esta clase de perdón se puede empezar de nuevo? Esa situación es un indicador que te avisa que sólo el verdadero perdón te hace recuperar la confianza en ti mismo y en los demás. Sólo el verdadero perdón te hace vivir y hace vivir a los demás.

Es el que te hace amar incluso al que te ha traicionado, es el que te hace caminar con la prudencia de la experiencia por las mismas calles donde te han asaltado.

¿Cómo perdonar a alguien que no se arrepiente? Aquí lo que se pone en crisis no es el perdonar, sino la reconciliación con esa persona.

Jesús nos ha enseñado a perdonar siempre y más aún unilateralmente (es decir como una iniciativa personal no importando la actitud del otro). Muchas veces dijo:

Te perdono tus pecados.

(Lc. 5,20; 7,47-48)

Aún cuando nadie le dijera

"Perdóname Señor".

En la cruz, mientras sus enemigos lo insultaban y se burlaban de él, Jesús decía:

Padre, perdónalos porque no saben lo que hacen

(Lc. 23,34)

Esa capacidad de perdonar a los que nos ofenden aún cuando ellos no dejan de hacerlo, es lo que hizo a Jesús que está sentado a la derecha del Padre (Cf. Lc. 22,69) ponerse de pié para honrar a Esteban quien frente a los enemigos que le apedreaban, poco antes de morir exclamó:

Señor, no les tengas en cuenta este pecado

(Hch 7, 55-60)

El hecho que estemos dispuestos a perdonar, no quiere decir que podamos reconciliarnos con la persona que nos ha ofendido.

Restaurar la armonía perdida en una relación no lo puede hacer una sola de las partes, es necesaria la acción de ambos.

Jesús explicó el proceso para alcanzar la reconciliación:

Si tu hermano peca, repréndele; y si se arrepiente, perdónale. Y si peca contra ti siete veces al día, y siete veces se vuelve a ti, diciendo; "Me arrepiento"; le perdonarás

(Lc. 17,3-4)

Lo más difícil de este proceso es el tener madurez y valentía de reconocer la falta cometida y pedir perdón. Cuando se da este paso, sólo falta que el otro tenga el amor y la misericordia para acoger al que está arrepentido y perdonar la ofensa.

Si el "Me arrepiento" se encuentra con un "Te perdono" comienza la fiesta de la reconciliación. (Cf. Lc. 15, 17-24)

Aún cuando la relación armoniosa no sea posible, si queremos vivir en paz debemos hacer lo que de nosotros depende para perdonar.

"...en lo posible, y en cuanto de vosotros dependa, en paz con todos los hombres..."

(Rm. 12, 18)

Si en alguna ocasión queda tu mano extendida porque no quieran estrecharla, no lo consideres como un fracaso, ni te sientas culpable, recuerda las palabras de Jesús:

"En la casa en la que entréis decid primero: "Paz a esta casa". Y si hubiere allí un hijo de paz, vuestra paz reposará sobre él; si no, se volverá a vosotros. "

(Lc. 10, 5-6)

Si al dar la paz a la otra persona no está dispuesta a recibirla, la paz en nosotros no se pierde, se aumenta.

Perdonar siempre es un acto liberador y sanador ya que muchos dolores y enfermedades (migraña, gastritis, presión alta, insomnio, etc.) tienen sus raíces en nuestros resentimientos y nuestros deseos de venganza.

El Odio y la amargura, bajan nuestras defensas. Nos dejan vulnerables y nos predisponen a muchas enfermedades incluyendo al cáncer.

Perdonar por el contrario nos hace física, emocional y espiritualmente más sanos y fuertes.

Procuren estar en paz con todos y llevar una vida santa; pues sin la santidad, nadie podrá ver al Señor. Procuren que a nadie le falte la gracia de Dios, a fin de que ninguno sea como una planta de raíz amarga que hace daño y envenena a la gente.

(Heb. 12, 14-15)

Quizá el fruto más grande del perdón es la paz y sobre todo la confianza de pedir a Dios que nos perdone.

"Si vosotros perdonáis a los hombres sus ofensas, os perdonará también a vosotros vuestro Padre Celestial; pero si no perdonáis a los hombres, tampoco vuestro Padre perdonará vuestras ofensas"

(Mt. 6, 14-15)

"Porque tendrá un juicio sin misericordia el que no tuvo misericordia; pero la misericordia es superior al juicio"

(St. 2, 13)

ORACIÓN

Padre te doy gracias, tú me has enseñado cómo perdonar. Ayúdame a perdonarme a mí mismo, a darme una nueva oportunidad para así estar en actitud de perdonar a otro.

Dame la gracia de limitar la zona del conflicto para no meter en mi pleito a quienes nada tienen que ver con él.

Permíteme poner límite al fuego de mis odios para no quemar a más inocentes.

Señor detén la violencia, no quiero que el remolino de la venganza me lleve a hacer ofensas más grandes de las que he recibido, ayúdame Señor a no ser rencoroso, ni vengativo.

Príncipe de Paz, dame la fortaleza necesaria para poner la otra mejilla, y has que de mis labios salgan bendiciones para el que me maldice.

Dios Misericordioso ayúdame a darle a los demás la oportunidad que tú me has dado de volver a vivir, de comenzar de nuevo. Perdona con tu gracia a los que a mí me ofenden, y espero al mismo tiempo que sanes las heridas que yo mismo he causado.

Concédeme Padre que al terminar esta oración, no se quede en mi mente, sino con tu gracia se convierta en realidad, en las actitudes de mi vida.

Esto te lo pido en el nombre de tu hijo Jesús quien no sólo habló del perdón sino que perdonó y ahora vive y reina contigo en la unidad del Espíritu Santo por lo siglos de los siglos.

Amén.

Cuando has perdonado de verdad, sientes que brota de nuevo la esperanza, sonríes fácilmente e incluso físicamente has sanado pues todo eso que tu alma callaba, lo estaba gritando tu cuerpo.

Libre, pues, de rencor, prepárate ahora que estás en la llanura del perdón a escalar con nueva fuerza, las alturas del amor.

DEL PERDÓN AL AMOR

SEGUNDA PARTE

... AL AMOR

Un predicador solía llegar con frecuencia a una comunidad y cuando hablaba, parecía que no tenía otro tema más que éste:

"Les doy un mandamiento nuevo, que se amen los unos a los otros."

Los oyentes que a menudo escuchaban el mismo mensaje un día se atrevieron a decirle: ¿Otra vez amaos? De este mandamiento ya nos has hablado demasiado. A lo que el predicador contestó: "Pero ese mandamiento sigue nuevo por que no lo han estrenado todavía".

¿Cuánto nos han hablado de amar? Sobre el amor se dicen tantas cosas, se cantan mil canciones, se proponen ideales, se unen corazones.

El amor es la brújula que señala los mejores rumbos de nuestra existencia. El amor es la firma que Dios ha dejado impresa como autor de la vida.

Libros enteros se han escrito sobre el amor. Sin embargo me asalta una duda. ¿Estaremos amando? O más aún los que deseamos de todo corazón ser llenos de amor para amar, ¿Sabemos como hacerlo?

No pretendo ser un maestro que va enseñarte a amar pero tampoco quiero animarte sin señalar el camino, soy un lector asiduo de la Biblia y en ella Dios no sólo nos da el mandato y motivaciones para amar, también nos muestra de manera sencilla y concreta cómo alcanzar en la medida que sea posible la gran meta a la que Dios nos llama:

Sean pues, imitadores de Dios, como hijos queridos y vivan en el amor como Cristo los amó.

(Ef. 5,1-2)

En esto conocerán todos que ustedes son mis discípulos: En que se tienen amor los unos a los otros.

(Jn. 13,35)

Queridos, amémonos unos a otros, ya que el amor es de Dios y todo el que ama ha nacido de Dios y conoce a Dios. Quien no ama no conoce a Dios, porque Dios es Amor.

(1 Jn. 4,7-8)

Los primeros grados en la escuela del amor

Así como avanzamos paso a paso, en los diferentes grados para llegar a cierta escolaridad que nos acredite para obtener un título académico, de igual modo para aprender a amar tenemos que caminar en forma gradual y ordenada. Por eso, no pocas, personas sienten que no avanzan, ya que al desconocer cuáles son las etapas, no saben dónde están, ni hacia dónde moverse para continuar.

De manera detallada señalaremos los primeros grados que nos conduzcan a graduarnos en la escuela del amor.

El mandamiento del amor en el Antiguo Testamento

Comenzaremos por este mandato en el Antiguo Testamento. Desde el comienzo de la historia de la salvación, Dios iba educando a su pueblo en el amor y dio este mandamiento específico:

No te vengarás ni guardarás rencor contra los hijos de tu pueblo. Amarás a tu prójimo como a ti mismo. Yo Yahvé

(Lev. 19,18)

Dejaremos a un lado la primera parte de este mandato, ya que lo hemos aplicado al hablar del perdón, y fijemos nuestra atención en la segunda parte, por su significado tan profundo que nos disponemos a meditar. **"Amarás a tu prójimo como a ti mismo"**.

PRIMER GRADO:

Como a ti mismo

No te vengarás ni guardes rencor
Contra los hijos de tu pueblo.
Amarás a tu Prójimo como a ti mismo
Yo Yahvé

(Lev. 19,18)

Una vez más se nos señala por dónde comenzar; no puedes amar al prójimo si no te amas a ti mismo, el amor que tengas por ti es la medida con la que vas a amar a otros. Si no te amas, no eres capaz de amar.

Si decimos: "Antes de pensar en amar a los demás tengo que amarme a mi mismo". Esto sonaría para muchos a egoísmo y es aquí donde está la raíz de la falta de amor a los otros. Por proponernos las metas más elevadas en el amor, se nos ha olvidado practicar los primeros grados que nos capacitarán a alcanzar lo perfecto.

Si no has prendido a leer y escribir es imposible que te inscribas en alguna universidad del mundo.

Veamos un ejemplo, para entendernos mejor. Al comenzar un vuelo en avión, se da un aviso que no todos los pasajeros entienden: "La cabina está presurizada, pero si sufriese un cambio imprevisto, caerán automáticamente las mascarillas de oxígeno. Si va acompañada de un niño, póngase usted primero la mascarilla y luego al niño".

Parece raro, ¿verdad? De acuerdo a nuestra lógica, lo primero que pensaríamos hacer es proteger al niño, pero no es eso lo que recomiendan.

La razón es muy simple. Si el adulto ya está respirando tranquilamente, podrá atender con calma al niño, que tal vez no se ha percatado de la magnitud del problema. **Si no estamos nosotros bien, no podemos hacer el bien a los demás.** Así es el amor. Si tenemos el oxígeno del amor puesto, fácilmente podremos compartirlo con otros.

Cuánta razón tenían los abuelos cuando decían: "La caridad empieza por la casa".

Amarse a uno mismo es el primer grado del amor.

Pero, ¿Qué quiere decir amarse a uno mismo? En primer lugar, aceptar con alegría el don de la vida, y con todo valor aceptar el reto que nos impone la existencia.

Debes realizarte según el sexo al que perteneces, si eres hombre, asume tu condición varonil. Si eres mujer, asume tu condición femenina. Sé con decisión lo que eres, sin pensar que eres mejor porque eres de uno o de otro sexo.

Tu estatura, color, peso, la forma de tu nariz, boca, orejas o el tipo de pelo. Todos estos son accidentes. Recuerda que nadie es más o menos bonito que otro. Sólo somos diferentes.

Ama con filial afecto el tronco familiar al que perteneces, acepta tus apellidos, con todo lo que eso significa, ama tu origen; siente orgullo de tu raza, tierra y cultura. No porque sea mejor que otra sino por ser la tuya.

Ama lo que eres, ama lo que haces; esfuérzate en realizar en el futuro lo que has soñado. Recuerda que eres irrepetible. Sólo fíjate en el pequeño detalle de tus huellas digitales. No ha nacido ni nacerá otra persona en el mundo que tenga tu misma piel. El Dios que te creó es muy creativo y cada uno es obra exclusiva de sus manos.

"Dios no nos hizo en serie, nos hizo en serio."

Le preguntaban a Miguel Ángel (escultor italiano del siglo XVI) cómo hacía esas obras tan perfectas (el Moisés, la Piedad, el David y otras) El contestaba: "Yo no las hago, me las traen hechas. ¿De dónde? De la cantera: dentro de cada bloque de mármol está la escultura; lo único que hago es quitarle los pedazos que le sobran".

¡Qué profunda verdad es ésta! Dentro de ti, hay un gran hombre, una gran mujer, un gran hijo, etc. Solo tienes que descubrirlo, quitar todos los pedazos que te sobran.

Siempre me ha gustado recordar aquel combate singular en que David resultó vencedor frente al gigante Goliat. Pero, ¿Cuál fue su secreto para vencer? Además de la fe en Dios, tenía fe en sí mismo. La Biblia señala con énfasis este detalle:

Dijo David a Saúl: que nadie se acobarde por ese, tu siervo irá a combate con ese filisteo. Dijo Saúl a David: No puedes ir contra ese filisteo para luchar con él, porque eres un niño y él es un hombre de guerra desde su juventud. Al ver que no lograba desanimar a David en su propósito de luchar contra Goliat, aceptó que se realizara el combate. Mandó Saúl que vistieran a David con sus propios vestidos y le puso un casco de bronce en la cabeza y le cubrió con una coraza. Ciñó a David su espada sobre su vestido. Intentó David caminar, pues aún no estaba acostumbrado y dijo a Saúl: no puedo caminar con esto, pues nunca lo he hecho. Entonces se lo quitaron. Tomó su cayado en la mano, escogió en el torrente cinco piedras lisas y las puso en zurrón de pastor y en su morral y con su honda en la mano, se acercó al filisteo.

(1 Sam 17,32-40)

Siempre que estemos dispuestos como David a confiar en nosotros, a luchar con las armas que el Señor nos ha dado, así como somos, sin desear ser como otros lanzándonos a ser nosotros mismos llegaremos a vencer, realizarnos.

Podemos admirar a otras personas, pero no tratar de copiar su vida, porque eso sería la negación de la nuestra.

Dar este primer paso en el amor, fue lo que cambió el rumbo de mi vida. Permíteme compartir contigo algo de mi intimidad. Desde muy pequeño me vi afectado por un problema asmático severo, que no me permitía desenvolverme como los niños de mi edad. Tuve que asistir varias veces al mismo grado de primaria; esto hacía las cosas más difíciles para mí. Con las bromas, burlas y desprecios de los compañeros me hacían notar que ellos lograban mejores resultados que yo. Estaba por cumplir catorce años de edad y cursaba para entonces el cuarto grado de primaria cuando ocurrió el milagro, en forma sencilla como suelen ser las acciones de Dios.

Nuestra maestra, Lidia de Pérez nos dijo que ese día no habría clase, nos sentó alrededor del salón y cada uno iba diciendo su nombre y un consejo para sus compañeros.

Me tocó el turno y al ponerme de pie, todos reían. Haciendo un esfuerzo para hablar dije: "Compañeros: me llamo Salvador Gómez Yánez y les voy a hablar de una cosa muy importante como lo es la disciplina".

No sé de dónde me salieron esas palabras tan elaboradas, pero Lidia no me dejó continuar, me interrumpió para pronunciar las palabras mágicas: "Así se habla, este niño sí puede hablar, aprendan niños, su compañero sí que es inteligente." Ella decía esas palabras y mi mente se abría. Nunca las había escuchado, o no habían penetrado tan profundo en mi mente. "Este niño sí puede." Lo creí y lo sigo creyendo. Y más ahora, que conozco al Señor, siento la alegría de gritar como el apóstol Pablo:

Todo lo puedo en Cristo que me fortalece.

(Flp. 4,13)

Cómo deseo, querido hermano, que esto ya haya ocurrido en tu vida, o que ahora ocurra para ti. Tú puedes ser feliz así como eres. No permitas que tus limitaciones o las experiencias de fracasos anteriores, acaben con tus ganas de luchar.

Ánimo, hermano, confía en ti. Acéptate, valórate, ámate, esfuérzate por superarte y ser feliz. Nunca ofendas a Dios diciendo que eres una basura. Recuerda que Él te creo a su imagen y semejanza y tú y yo sabemos que **Dios no hace basura.** Hemos nacido para ser felices, hemos nacido para triunfar.

Si crees que en alguna medida has alcanzado ese primer grado del amor, pues ya te amas, entonces estás listo para el grado siguiente.

SEGUNDO GRADO:

Amarás a tu prójimo

No te vengarás ni guardes rencor
Contra los hijos de tu pueblo.
Amarás a tu prójimo como a ti mismo
Yo Yahvé

(Lev. 19, 18)

"Amarás a tu prójimo". Fíjate en primer lugar que no dice: "Amarás a todos los habitantes del mundo", pues el amor se da a personas concretas.

San Lucas explica este concepto, como sucedía en la primera comunidad cristiana:

"Y cuando llegaron a la estancia superior, donde vivían, Pedro, Juan, Santiago y Andrés; Felipe y Tomás; Bartolomé y Mateo... perseveraban en la oración con un mismo espíritu en compañía de algunas mujeres"

(Hch. 1,13-14)

Los menciona a todos por su nombre, pues no era un grupo anónimo que vivía junto, sino hermanos, cada uno con su rostro concreto, su historia, ilusiones y proyectos.

El prójimo es el próximo, o sea, el que está cerca de ti.

Amar es en primer lugar: Acercarnos al otro, interesarnos por él, conocerlo por su nombre, sus luchas, aspiraciones, triunfos y fracasos; cualidades y defectos, y ese hombre total, aceptarlo, valorarlo, y amarlo. **No puedes amar lo que no conoces.**

Este mandamiento de amar al prójimo como a ti mismo se puede concretar de dos maneras muy rápidas y sencillas

a. Lo que no deseas para ti no lo desees para tu prójimo.

Que equivale a: "Mucho ayuda el que no estorba". Esto es lo mismo que debemos hacer con el prójimo si queremos llegar a amarlo. Si no puedes ayudar a tu hermano a llevar su carga, no te subas a su hombro, que ya va cargado. Si no eres capaz de dar la paz a los que están a tu lado, por lo menos no les des guerra.

Si no tienes nada agradable que decir al menos guarda silencio. Si ves venir a otro con su cruz y no tienes la suficiente fuerza para decirle: "Aquí está mi hombro", ten la bondad de hacerte a un lado para no estorbar en su camino. No causes a otros lágrimas de las que ya derraman; no aumentes las heridas que ya existen.

Primero hay que dejar de molestar al otro. Después hablar del amor. Hay que amar, sí, pero sin olvidar los detalles sencillos.

Si no puedo ser parte de sus soluciones al menos no estaré al lado de tus problemas.

Un hombre muy ocupado puso este letrero en la puerta de su oficina: *"Si viene a ayudarme a resolver mis problemas, pase adelante, le estoy esperando. Si viene a darme más problemas de los que tengo, espere afuera, pues ya tengo bastantes."*

Este fue uno de los consejos que Tobit dio a su hijo Tobías:

No hagas a nadie lo que no quieres que te hagan.

(Tb. 4,15)

Tratemos de cumplir con esto: ¿Te gustaría que alguien destruya la paz de tu hogar? Prométele a Dios que nunca destruirás otros hogares, aún cuando tú no tengas hogar que te destruyan.

El hecho de no tenerlo es suficiente para que respetes los que lo tienen. ¿Te gustaría que a tu madre, a tu hermana, a tu esposa o a tu hija le hicieran propuestas deshonestas?. No molestes de esa manera a ninguna mujer, pues es madre, esposa o hija de otro que tiene tus mismos gustos.

¿Cómo te sientes cuando otro, abusando del poder que tiene te humilla, te extorsiona, te aplasta?. Nunca abuses del lugar que ocupas para hacer sentir de esa manera a otros.

Es sencillo, cada vez que te sientas mal por lo que alguien ha hecho o dejado de hacer, recuerda que así se sentirán los otros si tú haces o dejas de hacer lo mismo. Trata de respetar con rigor este principio en tu relación con los demás y todo lo que hagas de ahí en adelante será progresar en el amor.

"Has a los demás, lo que te gustaría que te hicieran"

b. Todo cuanto queráis que os hagan los hombres, hacedlo también vosotros a ellos; porque esta es la ley de los profetas.

(Mt. 7,12)

Es la misma regla de oro conocida: "Lo que no deseas para ti, no lo desees para tu prójimo". Jesús la propone de una manera positiva para hacernos avanzar en el amor. Cumplir este principio nos abre todo el camino de la amistad por delante.

Qué triste y decepcionante es no encontrar un amigo leal y verdadero: ¡Sé tú, ese amigo que los demás andan buscando! ¿Te gustaría conversar con alguien que te escuchara con atención, que te diga "muchas gracias" y además te pida todo por favor?. Sé tú una de esas personas que rara vez se encuentran.

Hacer al otro lo que quiero que me hagan es:

c. Alegrarme con el bien ajeno.

Celebremos los triunfos y progresos de tu prójimo como a ti te gustaría que celebraran los tuyos. Te muestran la casa, el carro o algo que han comprado; celebra su buen gusto, no los dejes temblando, diciendo que la casa está sobre una falla de terreno, que tengan cuidado porque andan robando los autos.

Hay personas que al ver matrimonios bonitos, se acercan y dicen a la esposa: Estás contenta con tu esposo, ¿verdad?. Así son los hombres, un rato se portan bien, ya vas a ver. Y si las personas vienen a contarnos que se sienten felices, encontramos "peros" a su felicidad, esos "peros" no son más que nuestra envidia. ¿Te alegras con el bien de tu hermano? ¿Das gracias al Señor, por los que han progresado? O dices a Dios, ¿Qué pasó? ¿Cómo es que ellos sí y yo no?.

Hacer al otro lo que quiero que me hagan es: Hacer que el otro se sienta importante.

¿Te gustaría que los demás aprecien lo que tienes, lo que eres, y que respeten tus valores? Es exactamente lo que esperan que hagas con ellos.

Tenemos que aprender a hacer sentir importante a nuestros semejantes; no nos ahorremos felicitaciones y palabras de aliento.

Para decir palabras de alabanza nos vamos con mucho tiento, como nos han enseñado que hay que ser "Humildes", guardamos silencio, no sea que el hermano se vaya a creer mucho, pero se nos olvida que la humildad no está reñida con la verdad, como lo dijo Santa Teresa.

- Di a las personas que viven a tu lado lo maravillosas que son;

- A tus padres lo agradecido que estás con ellos;

- A tu esposa o esposo lo feliz que te sientes de haberle conocido y de caminar a su lado.

• A tus hijos que los quieres, y que estás dispuesto a ganarte su confianza y amistad; y

• A tus amigos agradéceles lo fieles y sinceros que han sido.

Una palabra de aliento dicha a tiempo, cuánto bien puede hacer en el corazón del hombre. Un proverbio dice: **No esperes que el santo se muera para venerarlo.**

Amarás a tu prójimo

Valora cada esfuerzo de los seres humanos, respeta a cada hombre, lo que son y lo que hacen, si estudian o trabajan, si son profesionales, burócratas, obreros, comerciantes, industriales, campesinos, artistas, políticos, filósofos, guías espirituales.

Respeta lo que creen, respeta sus ideales, todos vemos aspectos de las mismas verdades, no hay grandes ni pequeños todos somos iguales.

Pronuncia las palabras que quieras escuchar, da siempre en la medida que quieras recibir. ¿No te gusta oír algo? Tú lo debes callar.

Lucha porque otros vivan como quieres vivir. Jamás siembres la duda entre dos que se aman y *nunca busques peros a los que son felices.*

No dejes que la envidia impida a tu mirada mirar ojos bonitos en las caras ajenas, felicita al amigo por la meta alcanzada y trata de dar siempre sólo noticias buenas.

TERCER GRADO:

El mandamiento nuevo del amor

Les doy un mandamiento nuevo
que se amen los unos a los otros,
como yo los he amado.

(Jn. 13,34)

Todo lo que hemos dicho anteriormente es para los que quieren amar al menos al nivel del Antiguo Testamento. Pero pasemos ahora a lo perfecto: el grado superior. Al amor estilo cristiano. Veremos en qué consiste el mandamiento del amor.

Les doy un mandamiento nuevo que se amen los unos a los otros, como yo los he amado.

(Jn. 13,34)

Como vemos, la novedad de este mandamiento no está en amarse sino en cómo amarse.

Para el Antiguo Testamento, la medida del amor era : "Como a ti mismo".

Para el Nuevo Testamento, la medida del amor es: amar como ama Jesús o sea, "Como yo os he amado".

De aquí en adelante. Nuestra atención se centra en descubrir cómo ama Jesús, para poder amar de esa manera. Comprenderás que ésta es una búsqueda de toda la vida, no un tema para agotar en un pequeño libro, pero en las pocas páginas que te quedan por leer, encontrarás al menos tres pistas concretas para empezar a practicar el amar al estilo de Jesús.

1. Tomar la iniciativa en el amor.

Este es el mensaje que queda de manifiesto en el ministerio de la encarnación. Él siendo Dios, se hace hombre. Toma la iniciativa en el acercamiento, acorta la distancia.

Jesús manifestó a sus discípulos cuál era su manera de amar.

No me habéis elegido vosotros a mí, sino que yo os he elegido a vosotros.

(Jn. 15,16)

San Juan nos recuerda que Dios ha tomado la iniciativa en el amor cuando nos escribe:

En esto consiste el amor: no en que nosotros hayamos amado a Dios, sino en que Él nos amó y nos envió a su Hijo.

(1 Jn. 4,10)

Luego nos muestra la exigencia que nos impone esta realidad:

Queridos, si Dios nos amó de esta manera, también nosotros debemos amarnos unos a otros,

(1 Jn. 4,11)

Amar como Jesús, es dar el primer paso en el amor.

En el evangelio, encontramos frases como éstas, refiriéndose a Jesús:

"Al pasar le vio..."
"Tuvo compasión... "
"Acercándose a ellos..."
"Y Él extendió su mano..."
"Se puso a caminar con ellos... "

Y en todos los casos es la misma actitud: Amar primero, tomar la iniciativa en el amor.

Reflexiona si en tu vida se encuentran frases semejantes o las más comunes que son como éstas:

No le hago mal a nadie...
Yo no voy donde no me llaman...
Si me hablan, hablo...
Si me buscan, me encuentran...

A menudo ocurre entre las personas que se aman, cuando tienen un disgusto, interrumpen su relación, y ambos sufren cada uno por su lado, guardando silencio. ¿Quién toma la iniciativa para acercarse y acortar la distancia que los separa del otro?

Generalmente lo hace el que está madurando en el amor, el que ha comprendido que hay cosas más importantes que el orgullo.

"Perdóname", "Lo siento", "No puedo pasar más tiempo así", son palabras que sólo salen de corazones que ya han aprendido a amar.

Si queremos estrenar el mandamiento nuevo del amor, aquí está la primera tarea: **Tomar la iniciativa**, dar el primer paso, no esperar que sea el otro quien se acerque, debemos salir a su encuentro.

También en esto la Virgen María es un modelo: Al enterarse que su prima Isabel, que vivía en la montaña, estaba próxima a dar a luz, se puso inmediatamente en camino, movida no por la curiosidad de comprobar las palabras del ángel, sino para quedarse por tres meses realizando los trabajos hogareños que sean necesarios (Cf. Lc. 1,39-46).

Aún cuando Isabel no la ha llamado, sabe que la necesita y acude con prontitud. ¿Qué podría pasar? Que le dijera: Muchas gracias, ya tengo quien me acompañe. Eres muy amable, en otra oportunidad aceptaré tu ayuda. ¡Anímate, toma la iniciativa, no esperes que te rueguen o supliquen! ¡Acude ahora!.

Di a tus padres: ¿Puedo ayudarles en algo? Di a tu esposa: ¿Quieres que te apoye en algo hoy? Di a tus hijos: Hoy tengo tiempo para jugar, pasear, estudiar o simplemente estar con ustedes.

¿Qué quieren que hagamos? Di a tus hermanos y amigos especialmente a los más necesitados: No estás solo, aquí estoy contigo.

Comienza a pronunciar esas palabras y verás hasta lágrimas de alegría. Toma la iniciativa en el amor y verás milagros.

"Amar es entregarse"

2. Amar como regalo, no como premio.

Amar como Jesús es también amar como regalo. El apóstol San Pablo nos dice:

En efecto, cuando todavía estábamos sin fuerzas, en el tiempo señalado, Cristo murió por los impíos; en verdad apenas habrá quien muera por un justo; por un hombre de bien, tal vez se atrevería a morir; mas la prueba de que Dios nos ama es que Cristo, siendo nosotros todavía pecadores, murió por nosotros.

(Rm. 5,6-8)

Siendo nosotros pecadores... ¡Qué manera de enseñar a amar!

Jesús no dijo: Ya que ustedes son buenos, ya que ustedes se lo merecen y como han escuchado y obedecido mis palabras, voy a tener el gusto de morir por ustedes en la cruz.

Ni tampoco dijo: Hasta que se porten bien y lo merezcan voy a dar mi vida por ustedes. Jesús tendría ahora cerca de dos mil años y sin esperanza de morir por nosotros.

Para gozar del amor de Jesús, no hay que llenar muchos requisitos. Él simplemente nos ama, nos da su amor como regalo, no como un trofeo ganado en dura competencia.

Jesús no nos ama porque... sino a pesar de ... Nos cuesta entender esto por la manera de amar que hemos aprendido en esta sociedad, donde nadie da algo a cambio de nada.

Nuestro amor está condicionado a largas listas de requisitos: Si te portas bien, si haces lo que me agrada, si me prometes que... si... entonces te voy amar.

¡Qué difícil es amar gratis! La mayoría pensamos: "Si quieres que te ame, debes luchar por merecer mi amor".

Aprendamos a quitar tantos requisitos, aprendamos a amar a pesar de...

Si amáramos de esta manera, cuántos matrimonios llegarían unidos hasta el final, cuántos hijos regresarían a la casa del padre, sobre todo, cuánta gente que ha sido marginada, despreciada, rechazada, encontraría un lugar digno y cálido. Es urgente que aprendamos a amar "gratis", pues sólo esta clase de amor puede salvar a los miles de niños que mueren diariamente a causa del aborto. Mueren porque no les han dado tiempo de "ganarse" el amor de sus padres, ya que sus padres no los han sabido amar "gratis". Más de cincuenta mil millones de inocentes son abortados cada año por no llenar lo requisitos que los hagan merecedores del amor de sus padres.

Es urgente hacer del amor un regalo, para darlo a aquellos que nacieron deformes, y vivirán como niños especiales.

Dios bendiga a los padres que regalan su amor y sonríen frente a esos ojitos ausentes, hablan con ternura, sin saber si son escuchados, y prodigan cariño sabiendo que ese hijo no les dará la satisfacción de graduarse, ni tendrán nietos para perpetuarse. Su más grande alegría será que algún día al reconocerlos diga: ¡papá!, ¡mamá!.

Dios bendiga a los que aman así, pues nos muestran que aún existe quien ama con el amor de Jesús.

Es urgente amar "A pesar de ..." esta es la única manera de amar a los que más nos cuesta, a aquellos de quienes esperamos tanto y no recibimos nada, a aquellos que sabemos que pueden dar mucho pero que por no dar nada, no dan ni lástima.

Sólo esta clase de amor acompañará siempre al esposo infiel, al hijo rebelde, al padre alcohólico, al hermano drogadicto, al indiferente, al homosexual, en una frase: sólo esta clase de amor hará que podamos llevar en los hombros a la oveja perdida ante Jesús.

Esta es la clase de amor que hacía exclamar al religioso y poeta mexicano Fray Miguel de Guevara: "No me tienes que dar porque te quiera, porque aún que lo que espero no esperara, lo mismo que te quiero te quisiera".

Para nosotros es más difícil, pues sin ser santos, ni místicos, tenemos que decir lo mismo al Jesús que vive en nuestro prójimo, por eso es necesario estar llenos de amor, que da sin esperar nada a cambio.

3. Amar hasta el extremo

La tercera manera de amar como Jesús, es amar hasta el extremo.

San Juan nos dice:

Antes de la fiesta de pascua, sabiendo Jesús que había llegado la hora de pasar de este mundo al Padre, habiendo amado a los suyos, que estaban en el mundo, los amó hasta el extremo.

(Jn. 13,1)

Con esta expresión "Hasta el extremo", el discípulo que penetró en profundidades de la revelación del verbo de Dios, que presenció estas cosas y que las ha escrito, y nosotros sabemos que su testimonio es verdadero (Cf. Jn. 21,24). Nos dice que el amor del maestro es hasta el extremo en fidelidad, o sea que Jesús nos ama con un amor que lo da todo y lo da siempre.

Meditemos un poco en lo que esto significa:

- **Amar con intensidad:**

Es estar dispuesto a dar todo por la persona que se ama. Ya Jesús lo había declarado:

Yo soy el buen pastor. El buen pastor da su vida por las ovejas.

(Jn. 10,11)

Nadie tiene mayor amor que el que da su vida por sus amigos.

(Jn. 15,13)

Pero lo más asombroso de este amor que da todo, es que da voluntariamente.

Por eso me ama el Padre, porque doy mi vida para recobrarla de nuevo. Nadie me la quita, yo la doy voluntariamente.

(Jn. 10,17-18)

Amar con intensidad es lo que evitará cometer el pecado de Ananías y Safira (Cf. Hch. 5,1-11).

Pecado que no consiste en no dar sino en quedarnos con la otra mitad que también debimos haber dado. Amar con intensidad es no dejar palabra cariñosa sin decir, promesas sin cumplir, favores sin hacer y pan sin compartir.

Amar con intensidad nos dará la paz de llegar con una flor a la tumba de la persona que amábamos, sabiendo que mientras caminó a nuestro lado le dimos todas las flores y todo el amor que pudimos haberle brindado.

Espero que tú seas también entendedor como Zaqueo, quien apenas conoció a Jesús estuvo dispuesto a devolver cuatro veces lo que había quitado, a sacar el tesoro que tenía guardado y compartir aquello que aún no había dado (Cf. Lc 19,1-8).

- **Amar hasta el final:**

Amar hasta el extremo es amar también hasta el final; es decir el amor que no pasa, el amor que es fiel hasta el fin.

Jesús que sufrió ingratitud y el abandono de los hombres, quiso enseñarnos a amar hasta el extremo.

¿Cuántos comieron el día de la multiplicación de los panes? ¿Cuántos tomaron del mejor vino en la boda de Caná? No lo sabemos, pero eran seiscientos litros de los que pudieron beber muchas personas (Cf. Jn 2,6-7).

¿Cuántos enfermos fueron sanados?

¿Cuántos pecadores fueron perdonados?

¿ A cuántos muertos les devolvió la vida?

Y de todos éstos, ¿Cuántos estuvieron con él, como María al pie de la cruz?.

En la hora de la más grande agonía toma consigo a sus mejores amigos, a los que han prometido que nunca lo abandonarán (Cf. Mt 14,31), y les abre su corazón y cuenta sus angustias, pidiéndoles que velen y oren con Él. Regresa después de una hora y los encuentra dormidos. ¿Tanto les ha importado su dolor? Desde ese momento, en que su corazón de hombre pudo haberse llenado de resentimiento, odio y amargura, comienza a mostrarnos el grado más sublime.

"El amor que es para siempre"

En la hora del dolor y el abandono, mientras otros se pelean, se desilusionan y se maldicen, Él se vuelve más suave y cariñoso, al punto que ya no les dice simplemente siervos, ahora los llama: amigos (Cf. Jn 15,15).

El último milagro de sanación que hace en su vida mortal es curar la herida de uno de los que vienen para llevarlo prisionero (Cf. Lc 22,50-51).

Más aún, clavado y agonizante en la cruz no deja de prometer el paraíso y no queriendo dejar dudas de que su amor es hasta el extremo, dice a su Padre:

Perdónalos, porque no saben lo que hacen

(Lc. 23,43)

Jesús se siente amado por el Padre y con ese amor que es desde siempre y para siempre.

Con amor eterno te he amado.

(Jr. 31,3)

Los montes se correrán, las colinas podrán moverse, más mi amor de tu lado no se apartará, mi alianza de paz no se moverá.

(Is. 54,10)

Como el padre me amó, yo también los he amado a vosotros.

(Jn. 15,9)

Lo más importante de todo, es que al sentirnos amados, amemos con ese amor:

Este es el mandamiento mío: Que os améis los unos a los otros como yo os he amado.

(Jn. 15,12)

San Juan escribe:

Queridos, si Dios nos amó de esta manera, también nosotros debemos amarnos.

(1 Jn 4,11)

Seguramente estás pensando ¿Quién ha dicho que amar es cosa fácil? Amor, palabra que ha perdido su más profundo significado, amor que muchas veces se reduce a zonas genitales. Amor que el mundo no conoce todavía, porque los que llevamos el nombre de cristianos no hemos sabido mostrarlo.

Amar hasta el final evitará la soledad y el abandono en el que viven y mueren aquellos que después de habernos servido y entregado su vida dejamos que se conviertan en: padres desamparados, esposas traicionadas, amigos olvidados, obreros despedidos, parientes lisiados y todos convertidos en tristes "amargados".

Ser agradecidos es una muestra de que estamos amando hasta el final.

Cuántas cosas más tendríamos que meditar para llegar a comprender lo que significa amar como Jesús. Pero como no se trata de conocerlo todo, empecemos a practicar lo que el Señor nos ha mostrado.

Amar como Jesús es un camino y la mejor manera de llegar al final de un camino largo es comenzar a andarlo.

CONCLUSIONES

Perdonar y amar es un proyecto para toda la vida. No vamos a pasar la vida estudiándolos y proponiendo ideales inalcanzables. Empecemos ahora, no sea que al fin de nuestra vida estemos con las manos vacías. Cerremos este libro y abramos las páginas de nuestra existencia para escribir en ellas cosas más sublimes y maravillosas con hechos que perdurarán siempre.

Recuerda que el examen final de nuestra vida será sobre el amor:

Cuando el hijo del hombre venga en su gloria serán congregadas todas las naciones, y Él se separará los unos a los otros, como el pastor separa las ovejas, pondrá a las ovejas a la derecha y a los cabritos a la izquierda.

Entonces dirá el Rey a los de la derecha:

-Venid benditos de mi Padre, recibid la herencia del reino preparado para vosotros desde la creación del mundo.

Porque tuve hambre y me diste de comer, tuve sed y me diste de beber, era forastero y me acogiste, estaba desnudo y me vestiste, enfermo y me visitaste, en la cárcel y viniste a verme. Entonces los justos le responderán:

Señor, ¿Cuándo te vimos hambriento y te dimos de comer, o sediento, y te dimos de beber?, ¿Cuándo te vimos forastero y te acogimos; o desnudo y te vestimos?, ¿Cuándo te vimos enfermo o en la cárcel y fuimos a verte? Y el Rey les dirá: en verdad les digo que cuanto hicieron a uno de estos hermanos míos más pequeños, a mí me lo hicieron.

(Mt 25,31-40)

Al amar has cumplido no sólo con un mandamiento sino con la ley entera.

Con nadie tengan otra deuda que la del amor. Pues el que ama al prójimo ha cumplido la ley. En efecto, lo de: No adulterarás, no matarás, no robarás, no codiciarás y todos los demás preceptos se resumen en esta fórmula: "Amarás a tu prójimo como a ti mismo". La caridad no hace mal al prójimo, la caridad es, por tanto, la ley en su plenitud.

(Rm 13,8-10)

OBRAS PUBLICADAS

PLENITUD DEL SER HUMANO

Presenta 70 cualidades de Jesús como ser humano, que nos ayudarán a crecer y ponernos a la altura que nos exigen las circunstancias actuales.

PARA SALVAR A TU FAMILIA

Descubrirás que Dios "Habla de muchas maneras" (Hb. 1,1) y esta sea una forma de comunicarte el proyecto que tiene para salvarte a ti y a toda tu familia.

PARA UN MATRIMONIO FELIZ

Una guía para alcanzar un matrimonio feliz.
Nueva edicción con textos del catecismo Católico y conclusiones de Santo Domingo y Aparecida.

VISIÓN CRISTIANA DEL FUTURO

Trata temas como el final del mundo, la segunda venida de Cristo, si la Tierra recibirá un castigo, y qué pasa cuando uno muere. Para tener una visión cristiana del futuro y vivir con esperanza.

UNA HORA FRENTE AL SANTÍSIMO

Una hora frente al Santísimo es un tiempo de adoración, alabanza y acción de gracias de intersección y súplica; es un remanso de paz, para llenarnos de fortaleza para vencer las batallas que cada día enfrentamos. Esta guía te ayudará en tu oración personal o comunitaria.

SECRETOS PARA TRIUNFAR

Contiene 10 secretos que ayudaron a José, a quien sus hermanos vendieron como esclavo, a convertirse en el hombre más exitoso de su tiempo.

LA RIQUEZA DE SER CATÓLICO

En este libro entenderás porqué muchos católicos se van de la iglesia, pero sobre todo la riqueza que tenemos los que hemos decidido quedarnos.
La decisión es tuya...
Te quedas o te vas...

ENSÉÑANOS A ORAR

Nuestras comunidades cristianas tienen que llegar a ser auténticas "escuelas de oración", donde el encuentro con Cristo no se exprese solamente en petición de ayuda, sino también en acción de gracias, alabanza, adoración, contemplación, escucha y viveza de afecto hasta "arrebato del corazón". (Carta Apostólica NOVO MILLENIO INEUNTE Juan Pablo II)

FORMACIÓN DE PREDICADORES 1

El autor comparte las experiencias y técnicas de predicación desarrolladas por él, como fruto de largos años al servicio de la palabra.

FORMACIÓN DE PREDICADORES 2

Contiene nuevas técnicas para profundizar el mensaje y consejos prácticos para una predicación creativa y participativa

SEMBRANDO ESPERANZA 1

50 anécdotas y cuentos, para educar en valores usando la experiencia más que las advertencias. A todos nos gusta escuchar historias en las que siempre triunfa el bien y la verdad.

SEMBRANDO ESPERANZA 2

50 nuevas anécdotas y cuentos que nos ayudarán a seguir educando en valores a través de la experiencia anteponiéndola a las advertencias y vivir siempre con esperanza.

IMPRESO EN
EL SALVADOR, C.A.

por: Asociación Institución
Salesiana

IMPRENTA Y OFFSET RICALDONE
Final Av. Hno. Julio Gaitán,
Santa Tecla   Tel.: (503) 2229-0308.
2,500 Ejemplares
c.4848 / Septiembre 2022
ventas@imprentaricaldone.com